CIRQUE SPLENDIDO
Billetterie
Ce livre appartient à :

Édition originale LASSE MAJAS DETEKTIVBYRA :
CIRKUSMYSTERIET

Première publication en 2006
par Bonnier Carlsen Bokförlag, Stockholm

Édition française : Oskarson (Oskar Jeunesse), Paris
Direction éditoriale : David Lanzmann
Traduction : Marianne Ségol-Samoy
Coordination éditoriale : Angélique Groslier
Mise en page : Caroline Rimbault

21, avenue de la Motte-Picquet – 75007 Paris
Tél. : +33 (0)1 47 05 58 92 / Fax : (0)1 44 18 06 41
E-mail : oskar@oskareditions.com
Site Internet : www.oskareditions.com

ISBN : 978-2-3500-0254-5
Dépôt légal : février 2008
Imprimé en Slovénie

Le mystère du cirque

Martin Widmark

Helena Willis

Traduit du suédois

par Marianne Ségol-Samoy

RUE DU MUSÉE
Musée
M
KioSque
RUE DE L'ÉGLISE
Poste
Poste
HOT-DOG
N
O
E
S
BUREAU
D'OSKAR ET
MALENA

Hôtel
LE PORT
LA
GRANDE PLACE
Café

LES PERSONNAGES

Cette histoire se déroule en Suède dans la petite ville de Valleby, où la plupart des gens se connaissent. L'église se trouve au centre du village.

Les personnages principaux, Oskar et Malena, sont copains de classe et dirigent ensemble une petite agence de détectives.

LE COMMISSAIRE DE POLICE

LE DIRECTEUR DU CIRQUE

LA FEMME DU DIRECTEUR DU CIRQUE

LA FILLE AUX BALLONS

ALI PACHA

TROCADÉRO

BOBO

SYLVESTRE

Chapitre 1

Glace et pickpocket

C'est l'été dans la petite ville de Valleby. Le soleil brille intensément depuis le début de la journée et la chaleur fait trembler l'air au-dessus de l'asphalte.
Oskar et Malena passent à vélo à l'angle de la rue du Musée et de la rue de l'Eglise.
– Salut les gosses ! entendent-ils crier.
C'est le commissaire de police qui mange une glace devant le kiosque à côté de l'église. Oskar et Malena s'arrêtent.
Le commissaire est un de leurs vieux amis et ils sont toujours contents de le rencontrer.
– Quelle merveilleuse journée, dit-il. Idéale

kios
Tarif glaces
1 boule: 10:-
2 boules: 15 :-
3 boules: 20 :-
ou

pour manger une glace, vous ne trouvez pas ?
– Ça c'est vrai, confirme Oskar. Malena
et moi, on part à la plage.
– Sacrés veinards !, rit le commissaire. Et
moi qui n'ai jamais de jour de repos. Je suis
un pauvre policier qui travaille jour et nuit.
Oskar et Malena se regardent et se font
un clin d'œil. Le commissaire ne semble
pas vraiment débordé.
– Vous avez beaucoup à faire en
ce moment ? demande Malena avec curiosité.
Il faut savoir qu'Oskar et elle ont créé
une agence de détectives et Malena est
toujours à la recherche d'une nouvelle
enquête palpitante.
– Je ne devrais pas vous le dire, commence
le commissaire, mais vous m'avez déjà aidé
à plusieurs reprises et vous saurez garder
un secret, n'est-ce pas ?
Oskar et Malena acquiescent un grand
sourire aux lèvres.
Le commissaire se baisse vers eux

et leur chuchote à l'oreille.
– Des pickpockets ! Au cirque, à l'extérieur de la ville ! Hier, pendant le spectacle, plusieurs personnes ont été volées. J'ai téléphoné aux commissariats des villes où le cirque était déjà passé. À chaque fois, c'est la même histoire : des téléphones portables, des colliers et des portefeuilles ont disparu.

Le commissaire hoche la tête l'air pensif puis il continue :
– Et dès que le cirque quitte la ville, les vols s'arrêtent. Tout semble indiquer que le voleur se trouve parmi les employés du cirque.
Le commissaire se penche de nouveau vers eux.

Oskar voit que sa boule de glace est sur
le point de tomber.
Les yeux du commissaire ne sont plus
que deux fentes. Il leur siffle à l'oreille :
– Ce soir, je me rends au cirque. Pour
enquêter, en civil bien sûr. Il n'y a qu'un œil
expert comme le mien pour démasquer
un habile pickpocket. J'irai aux deux
représentations. À celle de 18 h puis à celle
de 20 h.
La boule de glace du commissaire tombe
et s'écrase sur le trottoir. Il la regarde déçu.
Soudain, son portable se met à sonner.
Le commissaire répond puis il cache
le combiné dans sa main et dit tout bas :
– Quand on parle du loup !
C'est le directeur du cirque.
Pour ne pas le déranger plus longtemps,
Oskar et Malena remontent sur leur vélo et
s'en vont.

Arrivée à la Grande place, Malena tourne à droite devant l'Hôtel de la ville au lieu de tourner à gauche.
Surpris, Oskar lui crie :
– Tu te trompes de sens, Malena ! La plage se trouve de l'autre côté.

– Du travail en perspective, Oskar. Oublie la plage !
Oskar comprend alors que Malena a l'intention d'aller au cirque !
L'agence de détectives Oscar&Malena a un nouveau cas à élucider.

Chapitre 2

Une femme en colère

Le cirque s'est installé sur la grande pelouse au pied de la colline où les enfants de Valleby font de la luge en hiver.
Un immense chapiteau rayé trône au milieu des roulottes. Oskar et Malena posent leurs vélos et se dirigent vers une des roulottes sur laquelle est inscrit en grosses lettres rouges CIRQUE SPLENDIDO. C'est ici qu'on achète les billets pour le spectacle.
Oskar et Malena frappent au volet mais personne ne répond.

– Il est sans doute trop tôt, dit Malena.
Il reste encore une heure avant la première représentation.
– C'est le moment d'inspecter les lieux, déclare Oskar.
– Ah bon…, dit Malena en jetant un regard inquiet autour d'elle.

Avec un haussement d'épaules, elle suit Oskar qui s'est déjà faufilé entre deux roulottes. Malena voit que sur l'une d'elles est écrit *Directeur du cirque*.
A l'ombre des roulottes, il fait moins chaud. C'est agréable. Une des fenêtres

de la roulotte du directeur est ouverte.
Soudain, Oskar et Malena entendent une femme s'écrier :
– J'aurais dû me marier avec Bobo à la place… tu n'es qu'un directeur raté ! Bobo, lui, m'offre des fleurs et dit qu'il m'aime.

Oskar et Malena comprennent qu'il se déroule une scène de ménage juste à côté d'eux.
– Mais ma colombe..., dit timidement une voix d'homme.
Ça doit être le directeur du cirque, pensent Oskar et Malena.
– Bientôt ça ira mieux, continue la voix. Quand le public comprendra que mes artistes sont exceptionnels, l'argent entrera dans la caisse.
– Des artistes exceptionnels ! hurle la femme qui semble être l'épouse du directeur. Tu as :
- un magicien qui sort de prison.
- un Monsieur Muscles qui casse le nez des spectateurs.
- Bobo le clown qui ferait un bien meilleur directeur que toi.
- et, pour couronner le tout, une fille qui a pour seul ami un singe ! Tu parles d'une vie !

La femme reprend son souffle et continue :
– Comment ai-je pu être aussi stupide ?
Oskar et Malena entendent le bruit de

vaisselle qui se brise contre les murs de la roulotte, puis ils voient des tasses et des verres voler par la fenêtre.

– Viens, chuchote Oskar. On continue !

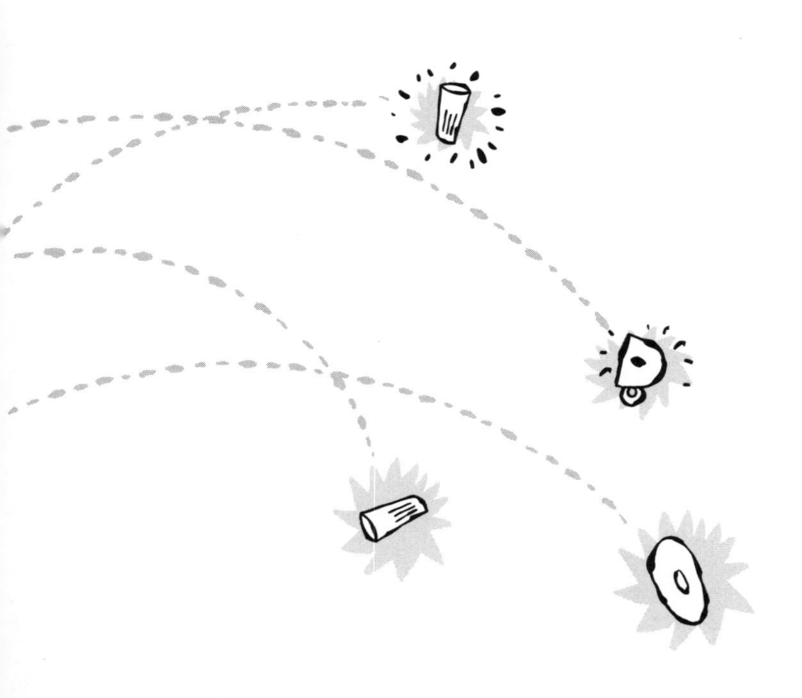

Chapitre 3

Oreilles décollées et casseur de nez

Ils partent en courant sous le soleil d'été, mais Oskar trébuche sur une barre en fer, perd l'équilibre et fonce la tête la première dans un énorme ventre qui appartient à un homme gigantesque vêtu d'une combinaison de gymnastique rayée noire et blanche. La barre en fer est, en fait, un haltère avec lequel l'homme s'entraîne pour faire gonfler ses muscles.

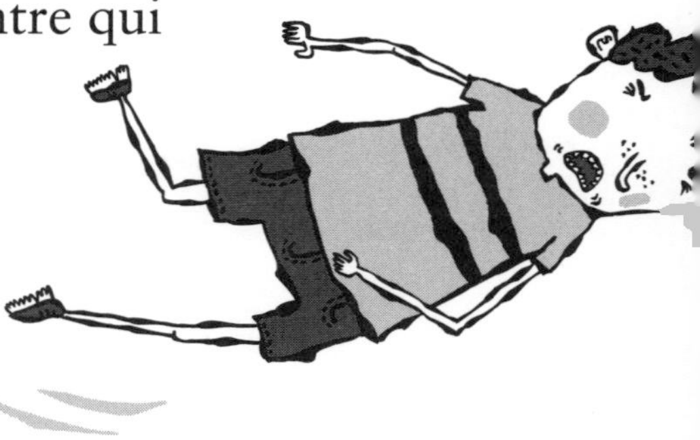

L'homme recule d'un pas et fait tomber une bouteille de bière qui était à ses pieds.

– Ma pouteille ! hurle-t-il.

Il est fou de rage.

– Ali Pacha fa transformer en miettes ches gamins, dit-il en attrapant Oskar et Malena par les oreilles.

Puis il les soulève. Oskar et Malena doivent se mettre sur la pointe des pieds pour qu'Ali ne leur décolle pas l'oreille et les réduise en miettes.

– Le homme le plus fort du monde, Ali Pacha, détechte être dérangé pendant sa entraînement ! crie-t-il le visage rouge vif. Que fait deux gosses dans la cirque ?

– Nous..., bredouille Oskar mais il reste sans voix.

– ...écrivons pour le journal de l'école ! reprend Malena. Nous devons faire un article sur l'homme le plus fort du monde qui travaille, paraît-il, dans ce cirque. Savez-vous où nous pouvons le trouver ?

Ali Pacha lâche immédiatement les oreilles d'Oskar et Malena et un immense sourire se dessine sur son visage.

– Le homme le plus fort du monde... c'est moi !, dit-il en leur montrant fièrement ses biceps.

25 KG
25 KG
Bière

– Ça alors ! disent en chœur Oskar et Malena tout en échangeant un regard soulagé.
Oskar sort son bloc-notes qu'il a toujours dans sa poche arrière, tourne quelques pages et fait semblant de lire des questions :
Ali Pacha ne remarque même pas le coup de bluff d'Oskar et Malena. Il s'assoit sur son haltère et se met à raconter sa vie sans que les enfants le lui demandent.
Oskar et Malena continuent à jouer les journalistes. Tout d'un coup, ils entendent une voix derrière leur dos.
– Oh ! Vous avez un nombre impressionnant de questions dans votre calepin. Il vous faudra la soirée pour que l'homme le plus violent du monde puisse répondre à tout ça.
Oskar et Malena se retournent et découvrent un homme habillé en magicien qui a les yeux fixés sur le bloc-notes d'Oskar.

Il leur adresse un clin d'œil pour leur signaler qu'il n'a pas l'intention de dévoiler leur mensonge.
– Dichparaît Trocadéro ! dit Ali Pacha, furieux. Cette cirque était beaucoup plus mieux avant que tu sors de la prison. Tu auras mieux fait de rester derrière la barreau et la verrou.
– Voyez-vous ça, Ali Pacha *le casseur de nez* ! se moque le magicien qui s'appelle Trocadéro.
Oskar et Malena n'en reviennent pas qu'il ose ainsi affronter le terrible Monsieur Muscles !
Le magicien poursuit :
– As-tu raconté à ces deux jeunes gens ce que tu dois payer comme dommages et intérêts au spectateur à qui tu as cassé le nez ?

– Il rechte encore des nez à casser, hurle Ali Pacha en se jetant sur Trocadéro.
Mais le magicien est vif comme l'éclair. Ali Pacha rate son coup. À ce moment-là, la porte de la roulotte du directeur s'ouvre bruyamment et une femme furieuse sort sa tête.

– Siiiiiiiiiiiiiilence ! hurle t-elle en envoyant des postillons dans tous les sens. Tous les jours, je suis dérangée par ces deux crétins. Hors de ma vue !!!
Ali Pacha se lance à la recherche du magicien en vrombissant comme une locomotive.

Chapitre 4

Un commissaire sans uniforme et une fille sans singe

« Les spectateurs de la première représentation commencent à s'assembler autour du chapiteau. Dans une ambiance festive, les gens se promènent, regardent les animaux et mangent de la barbe à papa. Oskar et Malena en profitent pour discuter de ce qu'ils ont appris :
– Nous avons un employé du cirque qui volerait des colliers, des portables et des portefeuilles au public, dit Oskar.
– Et un directeur de cirque qui semble être au bord de la faillite, poursuit Malena.
– Et un Monsieur Muscles qui est violent et qui doit payer

des dommages et intérêts à un spectateur
à qui il a cassé le nez.
– Nous avons aussi un clown qui porte
le nom de Bobo et qui est amoureux de
la femme du directeur, rajoute Malena.
Ils projettent peut-être de démarrer
une nouvelle vie ensemble ?
– Et Trocadéro le magicien qui a fait de
la prison. Pour quel crime ? se demande
Oskar pensif.
– Oskar regarde ! dit Malena l’air émerveillé.
Quel adorable singe !

Une fille vend des ballons devant l'entrée du chapiteau. À ses pieds, se tient un petit singe avec un sac à dos et un chapeau sur la tête.
– Viens Oskar, je veux acheter un ballon, dit Malena avec enthousiasme en se dirigeant vers la fille.
La fille sourit à Malena et lui explique que le singe s'appelle Sylvestre. Malena met un moment à choisir un ballon. Ils sont très beaux et ont tous des aspects différents. Elle se décide finalement pour un ballon en forme de crocodile. La fille a du mal à le détacher.
Il faut qu'elle fasse attention qu'il ne s'envole pas, pense Oskar.
Malena paye la fille qui donne l'argent au singe. L'animal le fourre dans son sac à dos puis il enlève son chapeau et fait une belle révérence à Malena.

Ballons 10 :-

– Oh ! Qu'il est mignon, rit Malena.
– Que vois-je ? De vieilles connaissances ! dit une voix familière.
C'est le commissaire. Sans son uniforme !
Oskar et Malena ont du mal à ne pas éclater de rire.

Il est boudiné dans un veston gris trop serré. Ça doit faire un bon nombre d'années et de kilos qu'il n'a pas remis ce costume, se dit Malena.
Oskar, Malena et le commissaire se dirigent ensemble vers le chapiteau.
À l'entrée, un homme déchire les billets :
– Policier en service ! dit le commissaire en sortant son insigne de la poche intérieure de son veston.
L'homme regarde Oskar et Malena d'un air interrogateur.
– Mes assistants, déclare le commissaire avec autorité, puis il pousse Oskar et Malena devant lui.
Sous le chapiteau, ça sent la sciure et les pop-corn. La femme du directeur est postée devant un chariot et vend des pop-corn dans de grands cornets en papier.

Le commissaire se fraie un chemin parmi les gens et s’assoit à la première rangée, près de la piste.

– Lorsqu’on enquête, il est important d’avoir les meilleures places, glousse-t-il puis il tape sur le banc à côté de lui pour indiquer aux enfants de s’y installer.

Oskar et Malena jettent un regard circulaire sur les spectateurs et reconnaissent plusieurs personnes de Valleby.
Au milieu des gradins est assis le directeur du Grand hôtel, Ronny Hazelwood.
Il fait un signe de la main à Oskar et Malena.
Derrière lui se trouve Roland Svensson, l'homme aux trois S, le sacristain de l'église de Valleby.

Sur le côté, ils aperçoivent Muhammed
Carat qui possède la bijouterie de la ville.
Il discute avec Siv Leander, sa vendeuse.
L'orchestre fait entendre un roulement
de tambour et un projecteur envoie
un rond de lumière sur le rideau rouge
derrière lequel sortiront les artistes.
Le brouhaha parmi les spectateurs cesse.
Le directeur du cirque entre sur la piste
un grand sourire aux lèvres.
– Mesdames et messieurs ! Bienvenue
au CIRQUE SPLENDIDO ! Ce soir,
vous allez assister à un merveilleux,
un extraordinaire spectacle avec des artistes
exceptionnels de renommée internationale.
Oskar et Malena se regardent et répriment
un fou rire. Ils entendent que la femme
du directeur, à côté de son chariot
à pop-corn, manifeste sa désapprobation.
Décidément elle n'aime ni le directeur
ni ses artistes.

SPLENDIDO

Le spectacle commence.
Trocadéro le magicien fait apparaître des lapins blancs de son grand chapeau noir. Il fait ensuite sortir des pièces de monnaie de l'oreille d'un des spectateurs.

Le sacristain Roland Svensson rit
de bonheur lorsque Trocadéro récupère
un billet de banque sous son menton.
Bobo le clown n'arrête pas de trébucher
et va dans le public à la recherche de
son klaxon qui se trouve, en fait, dans
la poche arrière de son pantalon. Il cherche
sous le siège de Siv Leander, puis il s'assoit
sur ses genoux et alors son klaxon
retentit si fort que Bobo fait un bond
en l'air ! Toute la salle éclate de rire.
Pendant ce temps-là, la fille aux ballons
poursuit sa vente en se faufilant entre
les rangées.

Malena ne voit nulle part Sylvestre le singe.
Il fait sans doute une pause, se dit-elle.
Le gigantesque Ali Pacha entre sur la piste et soulève de gros poids. Il lance ensuite un défi au public : celui qui réussira à mettre sur le tapis « l'homme le plus fort du monde » aura une récompense de cinq cents couronnes. Un homme grand et fort veut tenter sa chance, mais seulement quelques secondes plus tard il se retrouve par terre dans un nuage de sciure.
– Quel débutant ! murmure le commissaire à Oskar et Malena quand il regarde Ali Pacha gonfler ses muscles.
Le spectacle continue. Oskar et Malena cherchent à voir si quelque chose leur semble suspect. Qui est donc le voleur ? Qui parmi les personnes sous ce chapiteau vole le public ?
Les artistes saluent le public, l'orchestre

cesse de jouer, les gens se lèvent et se dirigent vers la sortie. Tout à coup, des cris retentissent !

– Mon portefeuille !

– Mon téléphone !

– Mon collier !

Oskar et Malena reconnaissent quelques-unes des voix.

– Mon collier a disparu, hurle Siv Leander !

Chapitre 5

Un moustique qui pique et un ballon qui vole

– Que personne ne sorte ! hurle le commissaire.
L'homme à l'accueil bloque le passage pour empêcher les gens de quitter le chapiteau.
Le commissaire ordonne au personnel du cirque et aux victimes du vol de se regrouper sur la piste.
Oskar, Malena et le commissaire les rejoignent.
Le magicien Trocadéro semble nerveux, son regard est fuyant.

Bobo le clown a enlevé son nez rouge
et une larme coule le long de sa joue.
La femme du directeur semble plus
en colère que jamais.
La fille aux ballons donne des coups
de pied dans la sciure.
Le directeur du cirque transpire à grosses
gouttes.
Et Ali Pacha grogne :
– J'ai pas du temps à perdre. Je dois buver
ma pière avant le prochain représentation,
sinon mes muchcles vont être comme
schpaghettis.
– Je vous demande le plus grand silence !
siffle le commissaire.
Le directeur regarde le commissaire
sans comprendre. C'est lui, le directeur,
qui devrait donner des ordres. Mais
le commissaire imperturbable, continue :
– Quels sont les objets qui ont disparu ?

POP CORN

DiDO
Ballons 10

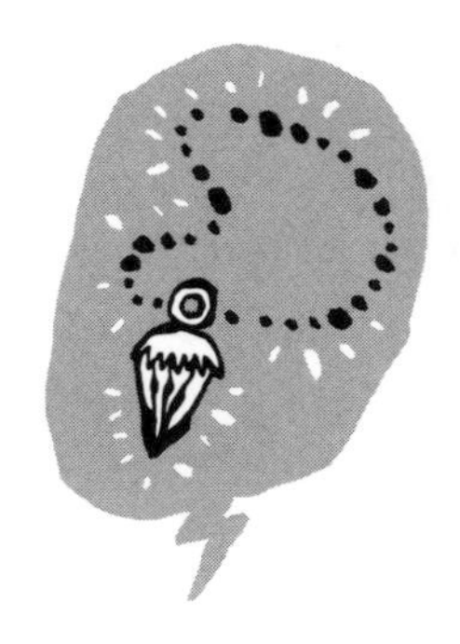

– Mon beau collier, dit Siv Leander en sanglotant.

– Mon portefeuille, dit Roland Svensson bouleversé.

– Mon portable, dit l'homme grand et fort qui s'est battu contre Ali Pacha.

– Procédons maintenant à une inspection, annonce le commissaire sur un ton sec. Mettez-vous tous en ligne !

Les artistes font ce qu'on leur dit et le commissaire fouille les poches de chacun. Il regarde même sous le chapeau noir de Trocadéro. Mais il ne trouve rien.

Le commissaire pousse de profonds soupirs tout en faisant les cent pas dans la sciure. Le public commence à s'impatienter et Ali Pacha réclame sa bière.
– Vous pouvez sortir, finit par dire le commissaire.
Les artistes et le public quittent le chapiteau. Dehors, la fille aux ballons a repris sa vente.
Une fillette choisit un ballon, donne l'argent à la fille qui le donne au singe. Celui-ci le fourre dans son sac à dos. La fillette rit, prend son ballon et part en sautillant.
Oskar regarde longuement le petit singe.
– Quelque chose cloche, chuchote-t-il à Malena.
– Oui, beaucoup de choses me semblent étranges, répond Malena. Suis-moi. Le commissaire veut nous parler.

Oskar et Malena voient le commissaire s'éloigner du cirque à grands pas et grimper en haut de la colline où ils ont déposé leurs vélos.

Arrivé au sommet, il s'assoit dans l'herbe. C'est une belle soirée d'été, quelques moustiques dansent dans l'air doux.

– Bon sang ! jure-t-il en jetant un regard vers le cirque. Quelqu'un vole les spectateurs sous notre nez ! Les enfants, avez-vous vu quelque chose ?

Oskar et Malena lui racontent ce qu'ils ont appris avant le début du spectacle :

• que le directeur du cirque s'est disputé avec sa femme et qu'elle est amoureuse de Bobo le clown.

• que Trocadéro a appris la magie en prison.

• qu'Ali Pacha paie des dommages et intérêts à un spectateur à qui il a cassé le nez.

Le commissaire hoche la tête et dit :
– Tous les artistes sont donc des suspects potentiels. Mais que diable deviennent les objets volés ? Comme vous l'avez vu, j'ai fouillé tout le monde selon les règles de l'art.
– Aïe !
Un moustique vient de piquer l'épaule de Malena. En voulant le chasser, elle lâche le ballon qu'elle tient dans la main et il s'envole vers le ciel turquoise.
– Non ! soupire-t-elle. Mon joli ba...
Soudain elle se tait.
– Mais oui ! s'exclame-t-elle.
Voilà comment ça s'est passé !
Le commissaire, surpris, se tourne vers Malena. Oskar, lui, ne réagit pas.
Il est plongé dans ses pensées.

– Il n’a pas fait la révérence…
murmure-t-il. Le singe n’a pas fait
la révérence quand la petite fille
a acheté un ballon.
– Quel malpoli ! dit
le commissaire qui ne voit
pas ce que le ballon de
Malena ni l’impolitesse
du singe ont à voir
dans l’histoire.
– Ça y est, j’ai compris ! disent en chœur
Oskar et Malena.
Le commissaire regarde bêtement les deux
enfants. Oskar et Malena lui expliquent
ce qu’ils viennent de comprendre. Plus
le commissaire écoute leurs explications
plus il est interloqué.
Alors que la deuxième représentation va
commencer, les trois complices descendent
de la colline et se dirigent vers le chapiteau.
Le moment d’arrêter le coupable est venu !

CHAPITRE 6

Un piège tendu et une sonnerie de téléphone

Le commissaire, Oskar et Malena s'assoient de nouveau au premier rang et la deuxième représentation de la soirée commence.
Le directeur semble très nerveux. Des vols ont lieu dans son cirque et il n'aime pas ça.
Quand l'homme le plus fort du monde entre sur la piste, le commissaire lui fait de grands signes de la main.
Ali Pacha le regarde les yeux ronds et lui demande :
– Que veux toi ?
– Je veux te mettre K-O et gagner 500 couronnes ! lui lance le commissaire.

– Plus tard Commichaire. Ali Pacha doive d'abord lever ses poids.

– Vas-y, mais mouche-toi avant. J'aimerais te prendre dans mes bras, dit le commissaire en retirant avec difficulté sa veste étriquée.

Ali Pacha fait son numéro, gonfle ses muscles tout en jetant régulièrement des regards inquiets vers le commissaire. Jamais quelqu'un n'a été si pressé de se battre avec lui.

Dès qu'Ali Pacha a reposé ses poids, le commissaire saute sur la piste. Le public est en effervescence.

Ali Pacha et le commissaire se tournent autour comme deux lions sauvages.

Soudain le commissaire dit :
– Regarde, une *crotte de nez* sur ta chaussure !
Ali Pacha baisse la tête et le commissaire en profite pour se jeter sur lui. En un rien de temps, il a fait une prise à Ali Pacha et l'a fait voltiger dans les airs. Ali atterrit lourdement dans la sciure.
Sous les applaudissements du public, le commissaire prend les 500 couronnes que le directeur lui tend puis retourne s'asseoir à côté d'Oskar et Malena.
– J'étais champion de lutte de mon école ! leur souffle-t-il à l'oreille tout en remettant sa veste. Ça se fête. La fille aux ballons, viens par ici !

Le commissaire achète un ballon pour Oskar et Malena pendant que les numéros s'enchaînent.
Quand le dernier artiste a quitté la piste et que la musique s'est arrêtée, la scène de la première représentation se reproduit. Plusieurs personnes du public s'aperçoivent qu'on leur a volé un objet précieux.
– Calmez-vous, mes chers amis, crie le commissaire. Tout va rentrer dans l'ordre !
Au moment où l'homme à l'accueil bloque la sortie du chapiteau, le singe Sylvestre apparaît et bondit dans les bras de la fille aux ballons.
Le commissaire demande une nouvelle fois aux artistes de se regrouper sur la piste. Cette fois-ci, il semble plus sûr de son affaire.

– Grâce à Oskar et Malena, mes deux assistants, je connais le coupable, dit-il en faisant des va et viens devant les employés.
– Tu as triché, lui siffle Ali Pacha lorsque le commissaire passe devant lui. Tu as trompé moi. Ton coup de le crotte de nez, pas bien !
Mais le commissaire continue calmement son interrogatoire.
Trocadéro, Ali Pacha, Bobo le clown, le directeur du cirque, sa femme et la fille aux ballons se regardent avec méfiance.
– Le coupable peut-il s'avancer et rendre les objets volés ? demande le commissaire d'une voix calme.
Aucun des artistes ne semble vouloir se dénoncer.

– Je vais donc devoir appeler du renfort, annonce le commissaire sur un ton autoritaire. Puis il fait semblant de chercher son portable dans son veston.

– Oh ! Il semblerait que j'aie été volé moi aussi. Oskar ! Emprunte le téléphone du directeur et appelle le commissariat de Valleby !

Le directeur du cirque sort son portable de sa veste rouge. Sans quitter des yeux les artistes, le commissaire donne le numéro à Oskar. Bientôt, on entend une sonnerie stridente retentir du… Oui… du sac à dos de Sylvestre.

SPLENDIDO
RING
DRING
DRING

Chapitre 7

Un singe bien chargé

Tout le monde se tourne vers le singe.
La sonnerie provient bien de son sac à dos !
Le commissaire hoche la tête et dit :
– Eh oui ! Oskar vient de composer
le numéro de mon portable.
Sylvestre essaie de mordre la main
du commissaire lorsque celui-ci veut
lui prendre son sac à dos. Le commissaire
attrape le singe par la peau du cou
et le tend à la fille aux ballons qui le fusille
du regard.
– Sylvestre est innocent, siffle-t-elle.
C'est moi la coupable. Mais comment
avez-vous su que c'était moi ?

Ça aurait pu être n'importe qui. Trocadéro par exemple, un ancien détenu !
– Une personne qui a fait de la prison n'a pas à être soupçonnée plus qu'une autre, fait remarquer le commissaire sur un ton cassant. Trocadéro a déjà été puni pour ce qu'il a fait. N'est-ce pas ?
Le magicien regarde le commissaire avec reconnaissance.
– Et Ali Pacha ? Cette tête de nœud qui frappe trop fort ! continue la fille aux ballons.
– Ali Pacha est presque le meilleur lutteur du monde, dit fièrement le commissaire. Il est fort et enragé mais permettez-moi de douter de sa capacité à élaborer un plan aussi ingénieux que celui-ci.
Ali Pacha fulmine.
L'interrogatoire se poursuit.
– Et Bobo le clown ?

Il rêve de diriger le cirque à la place de papa. Et pourquoi pas papa ? Il a tant besoin d'argent ? Comment avez-vous compris que c'était moi ?

Oskar se racle la gorge avant de se lancer :

– Aucun de ceux que tu as cités n'aurait pu sortir les objets du cirque. Nous avons d'abord pensé que le voleur les avait cachés quelque part sous le chapiteau. Puis, Malena a lâché son ballon sans faire exprès, et nous nous sommes dit que les objets pouvaient très bien s'être ainsi envolés au-dessus de la tête du public.

Oskar marque une pause, regarde la fille puis reprend :

– Après chacun de tes vols, tu attachais ton butin à un ballon que tu laissais s'envoler en haut du chapiteau. Le public qui regardait le spectacle ne s'apercevait de rien.

Malena continue :

– Après la première représentation, quand nous avons remarqué que le sac à dos de Sylvestre était si plein qu'il n'arrivait plus à faire la révérence, nous avons compris que c'est lui qui récupérait les objets suspendus dans les airs.

Oskar poursuit :
– On peut reconnaître que tu es maligne.
Tu ne volais que les gens qui avaient
participé au spectacle.
Trocadéro avait fait apparaître des billets
sous le menton de Roland Svensson, *Bobo
le clown* s'était assis sur les genoux
de Siv Leander. Et pendant la deuxième
représentation tu as volé le portable
du commissaire après son combat avec *Ali
Pacha*. Du coup, les soupçons se dirigeaient
uniquement vers les artistes du cirque
et non vers toi. Alors que toi, qui te promenais
parmi les spectateurs pour vendre
tes ballons, tu étais la mieux placée pour
commettre ces vols.
Tous les regards se sont maintenant
tournés vers la fille aux ballons.
Mais sa réaction est étonnante !

Chapitre 8

Une voleuse reconnaissante est arrêtée

La fille aux ballons éclate de rire ! Elle rit tellement que des larmes lui coulent le long des joues.

– Merci, dit-elle finalement en s'essuyant les yeux. Merci de m'avoir aidée.
J'ai commis ces vols parce que je voulais m'en aller de cet horrible cirque. Si vous saviez ce que c'est que de voyager de ville en ville et par tous les temps. Monter le chapiteau, le démonter, ne jamais aller à l'école, ne pas avoir d'amis.
Elle pousse un profond soupir et continue :
– Plusieurs fois j'ai essayé de persuader mon père que nous devions nous installer dans une ville agréable mais nous n'avons pas assez d'argent et il faut payer les factures. Le cirque ne peut pas s'arrêter de tourner.
Soudain, le directeur se met à émettre de drôles de bruits, on dirait des sanglots. Il prend sa fille dans ses bras et la serre contre lui en pleurant.
– Ma petite chérie, dit-il. Si j'avais

su ce que tu ressens depuis toutes ces années !

Le père et la fille restent un long moment enlacés. Le directeur pleure à chaudes larmes et la fille le console.

– Arrête de brailler comme un gosse ! lance finalement la femme du directeur. Conduis-toi en homme pour une fois et rends-toi enfin compte à quel point ta fille est épouvantable.

– Tais-toi, méchante femme ! crie
le directeur à sa femme qui sursaute.
La réaction du directeur est si inattendue.
Puis il s'élance :
– Prends ton clown au nez rouge et
disparais de ma vie ! Je ne veux plus jamais
te revoir. Et emmène Trocadéro, Ali Pacha
et son odeur de bière. Prends tout le cirque
et disparais ! Ma fille et moi restons ici à…
Il regarde Oskar et Malena, hésitant.
– Valleby, répond Malena.
– Vous êtes les bienvenus dans notre ville,
dit le commissaire. J'ai entendu dire
que notre école recherchait un nouveau
gardien. Ce poste vous conviendrait
peut-être. Et toi, chère petite, tu as beaucoup
de choses à rattraper : des devoirs,
des contrôles, des maths, du suédois.
Tu serais d'accord ?
La fille aux ballons regarde le commissaire

les yeux rayonnants de bonheur mais tout
à coup son visage se ferme:
– Que va devenir Sylvestre ?
Oskar et Malena s'aperçoivent que la scène
à laquelle ils viennent d'assister a ému
le commissaire aux larmes.
– Nous allons bien réussir à trouver
quelque chose qui convienne à notre petit
grimpeur, assure-t-il.
Oskar et Malena accompagnent
le commissaire, le directeur et sa fille
au commissariat de Valleby.

Le commissaire leur explique que,
pour cette fois, il a décidé de fermer
les yeux. Il ne va pas inculper la fille
du directeur.
Oskar et Malena le regardent étonnés.
– Un singe ! dit le commissaire en levant
les yeux au ciel. Les objets volés étaient
récupérés et cachés par un singe.
De quoi aurait l'air notre pays si les prisons
étaient remplies de singes ?
Le directeur du cirque et sa fille tombent
de nouveau dans les bras l'un de l'autre.
Oskar et Malena éclatent de rire.
Le commissaire a des muscles en acier
mais un cœur en or !
Quelques jours plus tard, les habitants
de Valleby lisent dans le journal :

ATTROUPEMENT DEVANT LE GRAND HÔTEL

Aujourd'hui, beaucoup de gens se sont arrêtés sur la grande place de Valleby pour regarder un petit singe sauter avec agilité de fenêtre en fenêtre sur la façade du Grand hôtel.

Dans la foule se trouvaient le directeur de l'hôtel et le commissaire de la ville. Ils discutaient entre eux les mines réjouies et les regards aussi brillants que les vitres que le singe venait de nettoyer.

Du même auteur :
Martin Widmark

Que se passe-t-il au musée ? Est-il exact que la momie égyptienne a ressuscité au bout de 3000 ans ? Le gardien de nuit, terrifié, prétend qu'il l'a vue de ses propres yeux, la nuit même où le tableau le plus cher du musée a disparu... Oskar et Malena se rendent tout de suite au musée pour mener l'enquête...

ISBN : 978-2-3500-0217-0

De faux billets ont fait leur apparition chez les commerçants du petit port suédois de Valleby. Mais qui est le coupable ? M. Ahlberg, le directeur de l'école, qui vient d'acheter une superbe voiture ? Mlle Gune, l'institutrice, qui s'inquiète pour sa retraite ? Klas, le remplaçant, qui veut partir faire le tour du monde ? Mary, l'infirmière scolaire, qui semble avoir bien des choses à cacher ? Oskar et Malena mènent l'enquête

ISBN : 978-2-3500-0107-4

Dans le petit port suédois de Valleby, le célèbre bijoutier Muhammed Carat vient de se faire voler cinq pierres précieuses en l'espace de quelques jours. Oskar et Malena, deux jeunes écoliers qui ont fondé leur agence de détectives, sont chargés de l'enquête. Le coupable est certainement un des employés de la bijouterie. Est-ce la vendeuse Siv Leander, qui a besoin d'argent car sa maison a brûlé ? Est-ce Ture Modig, l'employé qui était auparavant propriétaire de la bijouterie et qui voudrait la racheter ? Est-ce Lollo Smitt, le tailleur de diamants, qui vient de s'acheter une voiture de sport et dépense beaucoup d'argent ? Oskar et Malena mènent l'enquête...

ISBN : 978-2-3500-0108-1

Au Grand Hôtel de la petite ville suédoise de Valleby, on fête Noël... Et tout à coup, un vol incroyable se produit ! Heureusement, Oskar et Malena, deux éco liers qui ont monté leur agence de détectives privés, travaillent à l'hôtel pendant les vacances scolaires. Ils vont mener l'enquête. Qui peut avoir commis ce vol ? Tout le personnel de l'hôtel, à com-mencer par son directeur, avait un grand besoin d'argent ! Oskar et Malena vont utiliser Internet pour mener leur enquête...

ISBN : 978-2-3500-0146-3

CIRQUE SPLENDIDO
Billetterie